martine
et les quatre saisons

GILBERT DELAHAYE - MARCEL MARLIER

GÉRARD GRÉE

La collection FARANDOLE est publiée en :

Afrikaans :	WARD LOCK,	Cape town
Allemand :	CARLSEN,	Reinbek
Américain :	AWARD,	New York
Anglais :	AWARD,	Londres
Arabe :	LA PHÉNICIE,	Furn el Chebback
Catalan :	JUVENTUD,	Barcelone
Croate :	MLADOST,	Zagreb
Danois :	CARLSEN,	Copenhague
Espagnol :	JUVENTUD,	Barcelone
Finlandais :	OY PALETTI,	Helsinki
Gallois :	GWASG Y DREF WEN YF,	Cardiff
Grec :	PAPADOPOULOS,	Athènes
Hébreu :	PICTURES CENTRE,	Tel Aviv
Indonésien :	GANACO,	Bandung
Irlandais :	DEP. OF EDUCATION,	Dublin
Islandais :	FJÖLVI,	Reykjavik
Italien :	LA SORGENTE,	Milan
Macédonien :	KULTURA,	Skoplje
Néerlandais :	CASTERMAN,	Doornik-Dronten
Norvégien :	DAMM,	Oslo
Portugais :	VERBO,	Lisbonne
Roumain :	TINERETULUI,	Bucarest
Serbe :	FORUM,	Novi Sad
Slovène :	JUGOREKLAM	Ljubljana
Suédois :	CARLSEN,	Stockholm
Turc :	SÜMER YAYINEVI	Istanbul

ISBN 2-203-10111-3

Martine vient de recevoir un joli cadeau pour la nouvelle année. C'est un calendrier avec des images en couleurs que lui envoie son grand-père.

— Comme il est beau, ce calendrier! Nous allons le suspendre au mur, dit Jean.

Savez-vous combien de mois il y a dans le calendrier de Martine?

Dans le calendrier de Martine, il y a douze mois. Le premier s'appelle *janvier*. Il commence par le nouvel an. Ce jour-là, toute la famille se réunit autour du sapin illuminé.

— Chers parents, je vous souhaite une bonne année, dit Martine.

— Et beaucoup de bonheur, ajoute son frère.

On s'embrasse. On distribue des cadeaux. Martine reçoit un bracelet-montre, Jean des patins à roulettes, et Patapouf, un joli panier avec un coussin.

Février n'a que vingt-huit jours : il est pressé de voir partir l'hiver. Mais l'hiver ne veut pas s'en aller. La neige tombe. Les chandelles des gouttières luisent au soleil et les moineaux sont malheureux.

Martine a placé un petit nid en bois dans le verger. Ainsi les oiseaux seront bien à l'abri.

Après février, *mars* arrive. C'est le mois du printemps. Mais le merle a beau siffler, siffler, le printemps est toujours en retard.

Il faut pourtant se dépêcher de préparer le jardin. Martine sème les légumes avec son frère.

Comme c'est amusant de jardiner !

Si Patapouf continue à faire des trous dans la terre, il faudra l'attacher dans sa niche !...

Mais que se passe-t-il ?...

...Entendez-vous carillonner les cloches dans les villes et les villages?

C'est *avril* qui revient au pays.

— J'ai vu le printemps, dit une hirondelle.

— Il est dans le petit bois, ajoute le coucou.

Comme ils sont gros, les œufs de Pâques!

Il y en a — en sucre et en chocolat — pour Martine, pour Jean, pour tous leurs petits amis.

Le jardin de Martine est en fleurs.

— Sentez comme je sens bon, dit le lilas.

— Voyez comme je grandis, fait la marguerite en se dressant sur sa tige.

— On est bien au soleil, dit la primevère.

Le pommier lance des confetti dans le vent. Les poussins courent après les papillons. Martine et Jean sont venus cueillir des fleurs pour faire une surprise à leurs parents.

C'est le joli mois de *mai*.

Au mois de mai, les fleurs, les sources, les oiseaux, toute la nature se réjouit.

Aujourd'hui, c'est la fête de maman.

Dans le salon, Martine et Jean offrent un joli bouquet de jonquilles à leur maman chérie.

— Nous serons toujours gentils avec toi, dit Martine en l'embrassant de tout cœur.

Juin. Les jours sont longs. Le soleil brûle. Sur le chemin, les fourmis courent dans la poussière. Le fermier fauche le foin.

Il fait chaud, chaud. C'est l'été.

Papa a sorti du grenier la chaise longue et le parasol. Martine a mis sa robe de nylon, son chapeau de soleil. Les fleurs ont soif. Il faut les arroser.

Déjà les groseilles sont toutes rouges. Les cerises ressemblent à des boucles d'oreilles. Martine et son frère sont grimpés dans le cerisier. Tout là-haut, le vent chante et le soleil danse entre les feuilles.

— Nous allons remplir notre panier.

— Et demain, avec maman, nous ferons des confitures pour l'hiver.

Juillet. Vive les vacances !

Le papa de Martine vient d'acheter une caravane. Martine, Jean, Patapouf, toute la famille s'en va camper dans la montagne. La route traverse les forêts et joue à cache-cache avec les villages.

Là-haut, dans la montagne, le petit berger garde son troupeau, le torrent bondit, et Barbichette, la chèvre, saute sur les pierres en agitant le menton.

Au mois d'*août,* la moisson est mûre dans la vallée. Le fermier fauche le blé. Il dresse les bottes l'une contre l'autre. Ainsi, on dirait de petites cabanes avec un toit de paille et un trou pour y entrer.

Il y en a partout, au pied de la montagne.

— Si l'on s'amusait à cache-cache?

Martine et Jean n'ont jamais eu tant de plaisir. C'est une belle journée de vacances.

Mais voici que les hirondelles se rassemblent sur les fils électriques.

— L'hiver est proche. Il est temps de s'en aller.

— Moi, je reste, dit le rouge-gorge.

Le vigneron cueille le raisin pour le mettre à la cuve. Bzi... Bzi... fait la guêpe dans le verger. Là-bas, dans le bois, l'écureuil fait sa provision de noisettes pour l'hiver.

L'automne est arrivé. On est en *septembre*.

Le soleil est fatigué d'avoir brillé tout l'été. C'est lui qui a fait gonfler les bourgeons, s'ouvrir les fleurs, mûrir le blé. Sans lui, point de pommes au verger, point de marrons sur le marronnier. Le soleil doit se reposer maintenant.

Mais pour les enfants, les vacances sont terminées. Martine et Jean vont retourner à l'école.

Pendant ce temps, Patapouf ira courir dans la campagne. Dans la campagne, les marrons tombent, le fermier laboure son champ, l'herbe est toute mouillée.

— Nous voilà, nous voilà, font les corbeaux en se posant dans les sillons.

On dirait des cerfs-volants.

— Allez-vous-en ! dit Patapouf.

— *Octobre* est là, octobre est là, répondent les corbeaux d'un air moqueur.

Quand vient *novembre*, le vent siffle à tue-tête, les arbres se balancent, les feuilles s'envolent.

Martine et Jean balayent les allées du jardin :

— Je vais aller chercher le râteau dans la remise, dit Martine.

— Et moi, la brouette, ajoute son frère.

— Courons dans les feuilles, dit Patapouf. C'est bien plus comique.

La moisson rentrée, les oiseaux partis, l'hiver, que tout le monde avait oublié, revient.

Voici *décembre*. La fête de Noël est proche.

De nouveau on a dressé le sapin dans la vitrine du grand bazar. Martine et Jean ne sont jamais fatigués de regarder les jouets :

— Tu vois, la locomotive ; elle marche à l'électricité... Regarde l'hélicoptère...

— Et la poupée, à côté du polichinelle, comme elle est jolie ! Crois-tu que j'en aurai une ?

L'hiver, la neige tombe sur les toits, sur les trottoirs et dans les jardins. La bise gémit dans les arbres. Pour se réchauffer, Martine et Jean ont dressé un bonhomme de neige avec son chapeau et son balai.

Tout le monde est content. Bientôt ce sera l'année prochaine. Le printemps va recommencer. Ce sont les derniers jours du calendrier.

Imprimé en Belgique par Casterman, s.a., Tournai, janvier 1982. N° édit.-impr.
Dépôt légal : 4ᵉ trimestre 1962 ; D. 1982/0053/50.